Oh, le beau jour !

LANE SMITH

Le Genévrier

COLLECTION EST-OUEST

En souvenir de Bert
qui donnait à manger
aux oiseaux et aux écureuils

Adaptation de l'américain par Gaël Renan

Titre original : A Perfect Day
Published by arrangement with Roaring Brook Press,
a division of Holtzbrinck Publishing Holdings Limited Partnership

ISBN 978-2-36290-101-0
Imprimé en Italie. Dépôt légal : mai 2017
Loi n° 49-956 du 16 juillet 1949
sur les publications destinées à la jeunesse
www.genevrier.fr

La chaleur du soleil…

caresse le dos du Chat.

Le Chat aime à se prélasser
dans le parterre de fleurs
où poussent les jonquilles.

Oh, le beau jour pour le Chat !

La fraîcheur de l'eau
est ce que préfère
le Chien.

Comme il fait chaud,
le Chien patauge
dans la bassine que
son ami Albert a
remplie pour lui.

Oh, le beau jour pour le Chien !

Graines
pour oiseaux.

Albert en remplit
la mangeoire
pour les oiseaux.

Oh, le beau jour pour la Mésange !

L'Ecureuil grimpe
au poteau.

Il en redescend.

Il ne peut
pas atteindre
les graines.

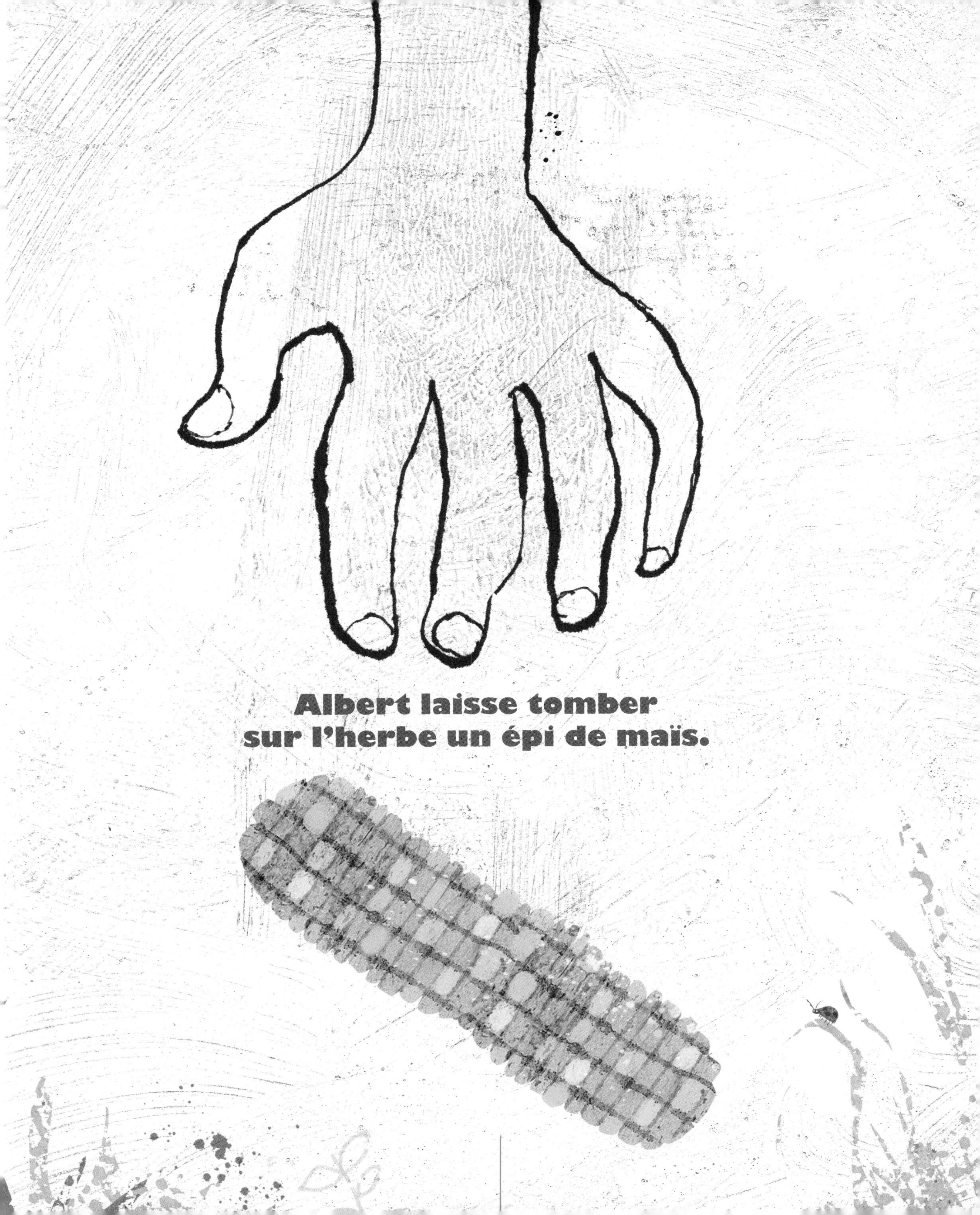

Albert laisse tomber
sur l’herbe un épi de maïs.

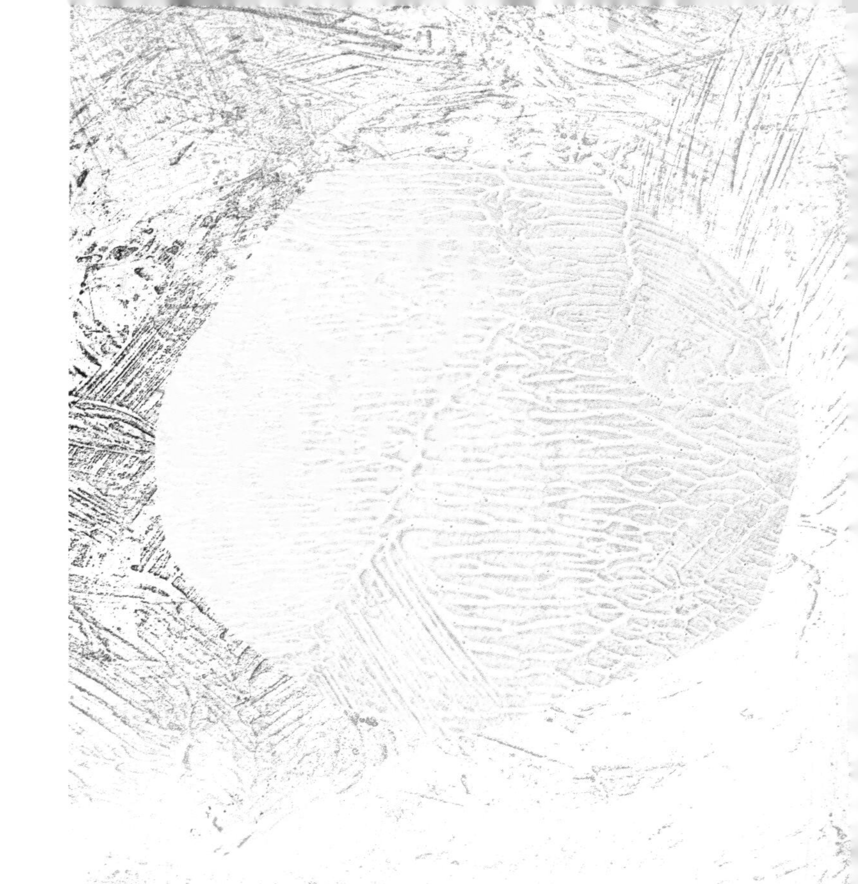

Oh, le beau jour pour l'Ecureuil !

C'était un beau jour pour l'Ecureuil.

C'était un beau jour pour la Mésange.

C'était un beau jour pour le Chien.

C'était un beau jour pour le Chat.

La chaleur du soleil.
La fraîcheur de l'eau.
La panse pleine de maïs et de graines.
Un lit de fleurs pour la sieste.

Oh, le beau jour pour l'Ours !